# No vayan Allí

**por Robert R. O'Brien**

## Contenido

### ⬠Harcourt

Orlando   Boston   Dallas   Chicago   San Diego

Visita *The Learning Site*

**www.harcourtschool.com**

## Climas extremos

Algunos climas de la Tierra son tan extremos que parece que no pudiera haber vida allí. Sin embargo, hay gente que vive en los desiertos más abrasadores del norte de África o en la fría tundra del Ártico. Hemos aprendido a adaptarnos a casi todos los entornos. Usamos herramientas, vestimos ropa especial y construimos refugios para protegernos.

Los humanos no pueden sobrevivir mucho tiempo sin protección en lugares muy calurosos o lugares muy fríos. Sin embargo, algunos animales sobreviven en entornos donde las condiciones de vida son muy duras.

En este libro, primero vas a leer sobre animales que viven en regiones muy frías del Ártico. Después leerás sobre animales que viven en regiones secas del desierto.

# Regiones frías del Ártico

El zorro ártico es un buen ejemplo de un animal que se adapta bien a un clima frío y duro. Su pelaje es completamente blanco y es el más abrigado de todos los mamíferos. Ni los osos polares tienen un pelaje tan abrigado. Esta capa de pelo tan densa lo protege de las temperaturas bajo cero. Las plantas de sus patas también están cubiertas de pelo, que las mantiene calientes. Gracias a este pelo, el zorro ártico no se resbala sobre el hielo.

El zorro ártico se adapta muy bien a su entorno nevado. Para vivir donde vive el zorro ártico, tendríamos que ponernos varias capas de ropa y necesitaríamos un buen refugio con calefacción.

El búho nival es otro animal que vive en el Ártico. Se ha adaptado a las duras condiciones de este hábitat tan frío.

El búho nival vive en la tundra, una región llana sin muchos árboles. De adulto, este búho tiene plumas blancas que se confunden con la nieve. Así, sus enemigos no lo pueden ver. Gracias a sus plumas blancas este búho puede también acercarse a sus presas sin que lo vean. Cuando la nieve se derrite y desaparece, las plumas del búho nival cambian de color a un marrón pardo con motas. Gracias a este color, se puede mezclar en el entorno y no desentona con las plantas secas y con la hierba muerta: de nuevo, es difícil verlo.

El búho nival vive en la tundra todo el año. Sólo
emigra si hay poca comida. Si no hay comida, tiene que
volar a zonas donde ésta sea más abundante. Los búhos
nivales son carnívoros. Al igual que otros búhos, son
cazadores silenciosos. La forma de sus alas les permite
volar sin hacer ruido.

Otros búhos cazan sólo en la oscuridad de la noche. El
búho nival no podría cazar sólo de noche. En el Ártico,
hay meses en los que nunca oscurece. El búho nival ha
aprendido a cazar de día para sobrevivir.

Los osos polares viven en el Ártico. Pasan la mayor parte del tiempo en islas de hielo llamadas témpanos. Estos osos tienen características únicas para poder vivir en el frío del Ártico.

Los osos polares son carnívoros y son los más grandes de la familia de los osos. Son incluso más grandes que los osos pardos. Los enormes cuerpos de los osos polares están cubiertos por un denso pelaje blanco. Debajo del pelaje, su piel es negra. Debajo de la piel tienen una densa capa de grasa. Esta capa de grasa los protege de las temperaturas tan bajas del agua. También los ayuda a flotar.

Los osos polares son excelentes nadadores y nadan grandes distancias entre los témpanos de hielo. Los machos pasan casi todo el tiempo solos, excepto en la época de apareamiento. Las hembras viven con sus crías. A veces, cuando encuentran un buen lugar para la caza, más de un oso va esa zona. Los osos polares cazan y comen focas. Las cazan asomándose en los hoyos de aire que las focas hacen en el hielo. Cuando una foca aparece para respirar aire, el oso la saca del agua con sus zarpas. Los osos polares tienen un sentido del olfato increíble que los ayuda a buscar comida. Pueden oler las ballenas y focas muertas que se han varado en la orilla, aunque estén a varias millas.

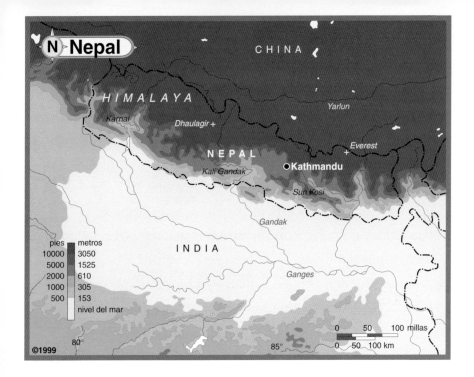

Las cumbres del Himalaya reciben el nombre de techo
del mundo. ¿Qué animal puede vivir en el frío glacial de
estas cordilleras tan altas? El leopardo de las nieves. El
leopardo de las nieves es una especie única de gato montés.
Se diferencia de otros gatos monteses en muchas cosas: es
de tamaño mediano, pesa unas 60 a 120 libras, y mide unas
39 a 51 pulgadas, si se mide del morro a la base de la cola.
Generalmente la cola es tan larga como el cuerpo.

Gracias a su larga cola, el leopardo de las nieves puede
mantener el equilibrio al saltar sobre las rocas y correr por
los senderos. El leopardo de las nieves se enrolla la cola
alrededor del cuerpo y la cara. La cola es como otro
abrigo de piel.

El leopardo de las nieves tiene las zarpas de las patas delanteras muy grandes para poder caminar sobre la nieve. El pelo del cuerpo es muy largo. Para protegerse del frío, debajo de este grueso pelaje tiene otro pelaje de pelo corto y denso como la lana.

El leopardo de las nieves hembra generalmente tiene una camada de dos crías. Estas crías nacen al mismo tiempo que las de las ovejas y las cabras. A veces las crías lloran para llamar la atención de la madre. Pronto se crearán otros vínculos entre ellos y cazarán junto a su madre.

Las hembras son buenas madres. Al igual que otros gatos, a menudo juegan con sus cachorros. También les enseñan a cazar ratones y otros animales pequeños.

# Regiones secas del desierto

El desierto del Sahara, en África, es seguramente el lugar más caluroso de la Tierra. También es uno de los lugares más secos. Es difícil creer que seres vivos puedan sobrevivir a temperaturas de 130 grados. Sin agua, un persona no podría vivir mucho tiempo en este lugar. Su cuerpo finalmente se rendiría ante el calor. Además, los humanos tendrían que proteger la piel de los rayos del sol.

El zorro del Sahara sobrevive en el desierto porque su cuerpo puede soportar el calor y el sol. Lo primero que llama la atención de este animal son sus grandes orejas, que funcionan como aletas refrigerantes. Numerosos vasos sanguíneos transportan la sangre a las orejas. Esto lo ayuda a dispersar el calor y mantenerse fresco.

El zorro del Sahara también tiene un pelaje denso del color de la arena. Tal vez pienses que el pelaje le da más calor, pero en realidad mantiene el calor fuera del cuerpo. El zorro del Sahara tiene pelaje hasta en las plantas de las patas para protegerse de la arena abrasadora del desierto.

Lo más increíble del zorro del Sahara es que puede vivir casi sin agua. El agua que contienen las plantas, los insectos y los pequeños animales que come alivia la sed del zorro. Puede pasar periodos muy largos sin beber una gota de agua.

Seguramente pensarás que con esas orejas tan grandes el zorro del Sahara usa su oído para cazar. En realidad, tiene una vista muy buena. Ve muy bien de noche y usa los ojos para buscar presas. De noche, busca lagartos, roedores, caracoles, pequeños pájaros o huevos. A veces cava en la arena para esconderse de sus predadores. Su pelaje de color arena también lo ayuda a esconderse.

11

La rata canguro vive en el desierto rocoso donde hay pocas plantas. ¿Y cómo sobrevive? La rata canguro obtiene agua de las semillas que come. No hay mucha agua en las semillas, así que estas ratas no sudan o jadean como otros animales para mantenerse frescos. Almacenan el agua en el cuerpo.

Pasan el día bajo tierra en sus madrigueras, donde no hace tanto calor y no es tan seco. Sólo salen de noche en busca de comida, cuando hace fresco y está oscuro.

Al igual que otros animales del desierto, las ratas canguro tienen pelo en la planta de las patas para protegerse de la arena caliente. Usan sus patas peludas para echarle arena a la cara de los animales depredadores.

La matraca desértica es un ave del desierto muy activa. Mide unas ocho pulgadas. Puede vivir con muy poca agua. La matraca desértica hurga bajo las rocas para buscar comida. Usa su largo pico puntiagudo para dar vuelta a las rocas del suelo, y para comerse las criaturas que se ocultan debajo de ellas. Generalmente come insectos como saltamontes, hormigas y abejas. Recibe el agua que necesita de la comida.

La matraca desértica hace su nido en árboles espinosos, arbustos y cactos. Para un ave es fácil meterse en las plantas espinosas, pero para los animales depredadores no lo es. Las espinas protegen a la matraca y a sus crías.

El correcaminos es famoso por su peculiar aspecto y porque puede correr muy rápido. Esta ave se ha adaptado muy bien al clima del desierto. La velocidad del correcaminos nunca deja de sorprender a la gente. Gracias a esta velocidad, es uno de los únicos animales que puede cazar serpientes de cascabel. Puede, incluso, atrapar una libélula en el aire.

Lo más difícil de encontrar en el desierto es el agua. La mayoría de las aves y los animales del desierto reciben el agua que necesitan de los animales y plantas que comen. La velocidad es fundamental para sobrevivir en el desierto. El correcaminos usa su gran rapidez para cazar sus presas, y a la vez éstas lo ayudan a evitar que lo atrapen.

El correcaminos no sólo recibe agua de las presas que come, sino que también tiene varias maneras de conservar el agua. Los correcaminos tienen unas glándulas que eliminan la sal de sus cuerpos y que vuelven a absorber el agua que aún almacena en sus cuerpos. Para mantenerse más frescas, estas aves son menos activas en las horas de más calor del día. Generalmente cazan al amanecer, cuando hace menos calor, y por eso necesitan menos agua.

Como los otros animales sobre los que has leído, los correcaminos nos recuerdan que los animales se adaptan al entorno en el que viven. No importa lo extremas que sean las condiciones, algunos animales pueden vivir y crecer allí.

| Animal | Tipo de clima | Adaptación |
|---|---|---|
| zorro ártico | frío del Ártico | pelaje caliente; patas cubiertas de pelo |
| búho nival | frío del Ártico | plumas que cambian de color con las estaciones; cazador silencioso; caza de día |
| oso polar | frío del Ártico | capa de grasa que lo mantiene caliente; buen sentido del olfato |
| leopardo de las nieves | frío del Ártico | cola larga para mantener el equilibrio, grandes zarpas para caminar sobre la nieve |
| zorro del Sahara | desierto caluroso | orejas y pelaje que lo mantienen fresco; pelo en las patas que lo protege de la arena caliente; necesita poca agua; buena vista que lo ayuda a cazar |
| rata canguro | desierto caluroso | almacena el agua en su cuerpo; pelo en las patas para protegerse de la arena caliente |
| matraca desértica | desierto caluroso | usa el pico para darle la vuelta a las rocas, come los animales de debajo; anida en árboles espinosos, matorrales y cactos |
| correcaminos | desierto caluroso | corredor veloz; glándulas que conservan el agua; caza en la parte más fresca del día |